D1162181

Das kleine Buch der

irischen Segenswünsche

Pattloch

Möge dein Tag
durch ein wenig Glück berührt sein,
von einem Lied in deinem Herzen erheitert
und vom Lächeln der Menschen gewärmt
werden, die du liebst.

Gott segne dich mit den Strahlen
der Sonne, um dich zu wärmen,
den Strahlen des Mondes, um dich
zu verzaubern, einem schützenden
Engel, um dich zu behüten, Lachen,
um dich aufzuheitern, treuen Freunden,
die dich umgeben, und einem Himmel,
der deine Gebete erhört.

Mögest du die hellen
Fußstapfen des Glücks finden
und ihnen auf dem ganzen Weg folgen.

Nimm dir Zeit zum Arbeiten,
es ist der Preis des Erfolges.
Nimm dir Zeit zum Denken,
es ist die Quelle der Kraft.
Nimm dir Zeit zum Spielen,
es ist das Geheimnis ewiger Jugend.

STOKES
CORK
STOKES
CORK
O'NEILL'S
O'NEILL'S

Nimm dir Zeit zum Lesen,
es ist der Brunnen der Weisheit.
Nimm dir Zeit zum Träumen,
es bringt dich den Sternen näher.
Nimm dir Zeit, dich umzuschauen,
der Tag ist zu kurz, um
selbstsüchtig zu sein.

Nimm dir Zeit zum Lachen,
es ist die Musik der Seele.
Nimm dir Zeit, freundlich zu sein,
es ist der Weg zum Glück.
Nimm dir Zeit zu lieben und
geliebt zu werden, es ist der wahre
Reichtum des Lebens.

Curry's Cottage
Tea Room

Das Grün der Wiesen erfreue deine Augen, das Blau des Himmels überstrahle deinen Kummer, die Sanftheit der kommenden Nacht mache alle dunklen Gedanken unsichtbar.

Mögen Bäche, Bäume
und wohlklingende Hügel
einen Chor anstimmen und dir jeder
sanfte Windhauch Glück zuwehen.

Ich wünsche dir, dass du beim Blick
zurück erkennst, wo du warst,
beim Blick nach vorne, wohin du gehst,
und beim Blick nach innen,
wann du zu weit gegangen bist.

Mögest du immer einen Blick
für das Sonnenlicht haben,
das sich in deinen Fenstern spiegelt,
und nicht für den Staub,
der auf den Scheiben liegt.

Segen der Erde mit dir. Segen des Meeres mit dir.
Segen des Windes mit dir. Segen der Bäume mit dir.
Segen des Wassers mit dir. Segen der Felsen mit dir.
Segen der Sterne mit dir. Siebenfacher Segen komme
über dein Haus und über alles, was du liebst.

Mögest du die kleinen Wegweiser
des Tages nie übersehen:
den Tau auf den Grashalmen,
den Sonnenschein auf deiner Tür,
die Regentropfen auf deinem Blumenbeet,
das Wiederkäuen der Kuh,
das Buckeln der Katze,
das Lachen aus Kinderkehlen,
die schwielige Hand des Nachbarn,
der dir einen Gruß über die Hecke schickt.

Der gesegnete Regen, der köstliche
sanfte Regen, ströme auf dich herab.
Die kleinen Blumen mögen zu blühen beginnen
und ihren köstlichen Duft ausbreiten,
wo immer du gehst. Der große Regen möge
deinen Geist erfrischen, dass er rein und
glatt wird wie ein See, in dem sich das Blau
des Himmels spiegelt und manchmal ein Stern.

Mögest du warme Worte
an einem kalten Abend haben,
Vollmond in einer dunklen Nacht
und eine sanfte Straße
auf dem Weg nach Hause.

Möge dein Dach
nie einfallen und mögen
die, die darunter wohnen,
nie Streit bekommen.

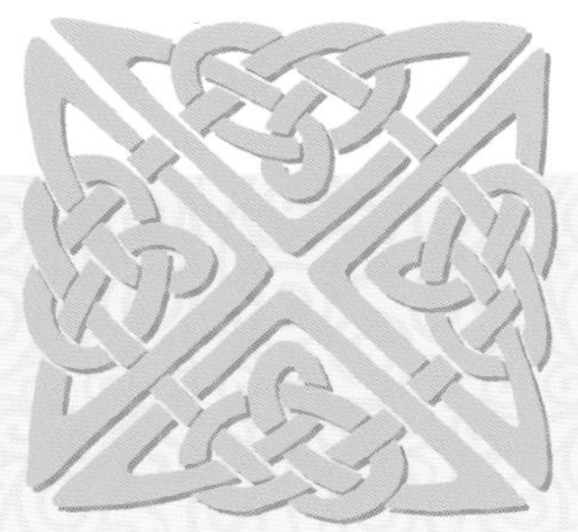

Ich wünsche dir
die zärtliche Ungeduld des Frühlings,
das milde Wachstum des Sommers,
die stille Reife des Herbstes und
die Weisheit des erhabenen Winters.

Mögest du Ruhe finden, wenn der Tag sich neigt
und deine Gedanken noch einmal die Orte aufsuchen,
an denen du heute Gutes erfahren hast.

Gebe dir Gott
für jeden Sturm einen Regenbogen,
für jede Träne ein Lächeln,
für jede Fürsorge ein Versprechen,
für jede Prüfung einen Segen,
für jede Schwierigkeit des Lebens
einen treuen Freund, der zu dir steht,
für jeden Seufzer ein fröhliches Lied
und eine Antwort auf jedes Gebet.

Gott sei mit dir und segne dich.
Mögest du immer Rückenwind haben.
Möge dir die Sonne warm ins Gesicht
scheinen und Regen sanft auf deine Felder fallen.
Gott halte dich in seiner schützenden Hand,
bis wir uns wiedersehen.

Gesamtgestaltung: Bluguy Grafik Design
Umschlagfoto: Corbis / Destinations
Fotos: mauritius images: S. 7 Reiner Harscher / S. 8 Oxford Scientific / S. 10 – 11 Radius Images / S. 13 Wojtek Buss
S.14 Oxford Scientific / S. 17 Wolfgang Weinhäupl / S. 18 – 19 SuperStock / S. 20 Edmund Nägele / S. 23 Radius Images
S. 24 Edmund Nägele / S. 26 – 27 age / S. 29 imagebroker – Giesbert Kühnle / S. 30 Simon Katzer / S. 32 – 33 Photononstop
S. 35 CuboImages / S. 36 Edmund Nägele / S. 38 – 39 Wojtek Buss / S. 41 SuperStock / S. 42 Axiom Photographic
Lektorat und Bildauswahl: Bettina Gratzki, Corinna Vierkant, Pattloch Verlag
Bildredaktion: Sylvie Busche (Ltd.), Tanja Lex, Markus Röleke
Druck und Bindung: Offizin Andersen Nexö/ Leipzig GmbH, Zwenkau
Printed in Germany

ISBN 978-3-629-10737-4

www.pattloch.de

Weitere Titel in dieser Reihe

Das kleine Buch der asiatischen Weisheiten

ISBN 978-3-629-10446-5

Das kleine Buch der orientalischen Weisheiten

ISBN 978-3-629-10448-9

Das kleine Buch der afrikanischen Weisheiten

ISBN 978-3-629-10447-2